W9-BZW-939

Yo también

Para Gabriella

Un libro de Dorling Kindersley

Traducción: Elena Iribarren

Primera edición en tapa dura, 2013

©1993 Susan Winter
©1999 Ediciones Ekaré

Edif. Banco del Libro, Av. Luis Roche, Altamira Sur. Caracas 1060, Venezuela
C/ Sant Agustí 6, bajos. 08012 Barcelona, España

www.ekare.com

Publicado originalmente en inglés por Dorling Kindersley Limited, London.
Título original: *Me Too*

ISBN 978-84-940256-9-3 · Depósito Legal B.9664.2013

Impreso en China por South China Printing Co. Ltd.

Yo también

SUSAN WINTER

EDICIONES EKARÉ

Mi hermano es muy inteligente...

A él le gusta leer.

A mí también.

A él le gusta construir cosas.

A mí también.

A él le gusta escribir.

A mí también.

A él le gusta disfrazarse.

A mí también.

A él le gusta saltar.

A mí también.

A él le gusta correr.

A mí también.

A él le gustan los insectos.

A mí también.

A él le gustan las películas de miedo.

A mí también.

A él le gusta hacer trucos de magia.

A mí también.

Él me necesita.